1

<ruby>長<rt>なが</rt></ruby>さ

1 長さの単位

長さや距離を表す単位にはどようのなものがあるでしょうか。

mm ミリメートル

とても小さいものの長さを表す時によく用います。定規の一番細かい目盛りを使って測ります。

cm センチメートル

ふで箱や家具など身近なものの長さを表す時によく用います。定規やメジャー（巻き尺）などを使って測ります。

m メートル

陸上競技や部屋の広さなどを表す時によく用います。メジャーや専用の計測器などを使って測ります。

km キロメートル

町と町や、国と国など、遠い距離を表す時などによく用います。

同じ長さでも違う呼び方（単位）があります。たとえば、10mm と 1cm は同じ長さです。定規の 1cm から 2cm までは、mm が 10 個きざんであるのを確認してみましょう。

■ 1mm

▬▬ 10mm

▬ 1cm

▬▬▬▬▬▬ 100cm

▬▬▬▬▬ 1m

▬▬▬▬▬▬▬▬▬▬▬▬▬▬ 1000m

▬▬▬▬▬▬▬▬▬▬▬▬▬▬ 1km

10mm=1cm　　100cm=1m　　1000m=1km

問題1　上の説明を参考にして、次の問題に答えましょう。

❶ 長さ 1mm のテープがいくつあると 1cm になりますか。

❷ 長さ 1cm のテープがいくつあると 1m になりますか。

❸ 長さ 0.1cm のテープがいくつあると 1m になりますか。

問題2　同じ長さを別の単位で表しましょう。

❶

180cm　　→

m

❷

2km　　→

m

❸

50cm　　→

m

❹

1500m　　→

km

問題3 次の問題に答えましょう。また、答えを別の単位で表しましょう。

❶ 20cm ＋ 40cm ＋ 50cm

cm	m

❷ 15mm ＋ 20mm ＋ 35mm

mm	cm

❸ 50cm ＋ 1m50cm

cm	m

❹ 400m ＋ 800m

m	km

❺ 13km － 8km

km	m

2 身近な長さ

問題1 次の問題に答えましょう。

❶ 長さ 7cm の布ひもから 2cm 切り取ると、何 cm の残るでしょうか。

cm

❷ 長さ 1.2m の布ひもから 50cm 切り取ると、何 cm 残るでしょうか。

cm

❸ 長さ1mの板と、長さ40cmの板をつなげました。板の長さは合計でいくつになるでしょうか。

m	cm

❹ 長さ 3m40cm の板と、長さ 4m90cm の板をつなげました。板の長さは合計でいくつになるでしょうか。

m	cm

3 バスケットボールチームの身長

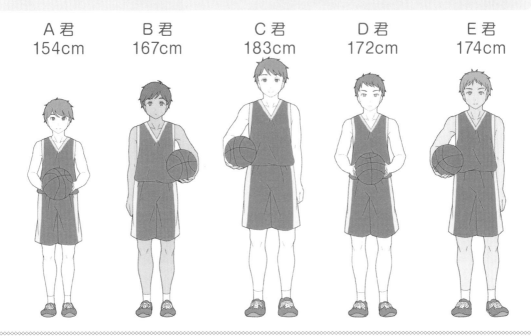

A君
154cm

B君
167cm

C君
183cm

D君
172cm

E君
174cm

問題1 上のバスケットボールチームの身長を見て、答えましょう。

❶ A君の身長をメートルで表しましょう。

m

❷ このチームの平均身長は何cmでしょうか。

cm

❸ 平均より身長が高い人は何人いるでしょうか。

人

👆 ポイント&ヒント
全員の身長を合計した数÷人数で、平均を計算できるよ。

9

4 陸上トラックを走る

問題1 1周400mの陸上トラックがあります。

❶ このトラックを3周走ると何メートルになりますか。また、それは何キロでしょうか。

m	km

❷ このトラックを5周走ると何メートルになりますか。また、それは何キロでしょうか。

m	km

❸ このトラックを5.2km走ることにしました。何周走ればよいでしょうか。

周

5 学校へ通学する

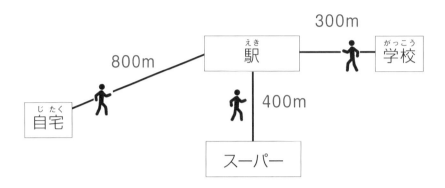

300m
駅（えき）
学校（がっこう）
800m
自宅（じたく）
400m
スーパー

～～～～～～～～～～～～～～～～～～

問題1　上の地図を見て、答えましょう。

～～～～～～～～～～～～～～～～～～

❶ 自宅から駅を通って学校まで歩きました。何メートル歩いたでしょうか。

```
                                                    m
```

❷ ❶を往復すると何メートル歩くことになるでしょうか。また、それは何キロでしょうか。

```
                          m          km
```

❸ 学校から駅を通ってスーパーまで歩きました。その後、スーパーから駅を通って自宅まで歩きました。合計で何メートル歩いたでしょうか。また、それは何キロでしょうか。

```
                          m          km
```

6 会社へ通勤する

問題1 下の地図を見て、答えましょう。

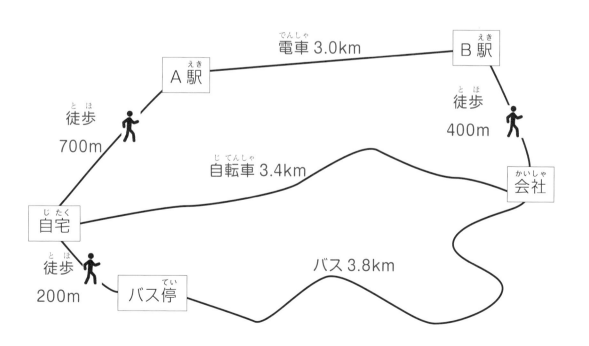

電車 3.0km

A 駅

B 駅

徒歩
700m

徒歩
400m

自転車 3.4km

会社

自宅

徒歩
200m

バス停

バス 3.8km

❶ 自宅から会社へ行くには3通りの方法があります。それぞれの移動距離はいくつになるでしょうか。

1. 自宅～徒歩～A駅～電車～B駅～徒歩～会社

km

2. 自宅～自転車～会社

km

3. 自宅～徒歩～バス停～バス～会社

km

❷ 自転車で会社へ行きましたが、雨が降ってきたため帰りはバスを使って自宅まで帰りました。往復で何キロ移動したでしょうか。

km

❸ 自転車で毎日会社へ通勤すると、1週間で合計何キロ移動することになるでしょうか。（会社は土日が休日です）

km

☞参考図書　ひとりだちするためのビジネスマナー＆コミュニケーション

7 オリンピック

問題1 オリンピックの競技（きょうぎ）について問題（もんだい）に答（こた）えましょう。

❶ オリンピックやパラリンピックで行われるマラソンの距離（きょり）は何（なん）キロでしょうか。調（しら）べてみましょう。

km

❷ 1周（しゅう）2km の公園（こうえん）を、約何周走（やくなんしゅうはし）るとマラソンと同（おな）じくらいの距離（きょり）になるでしょうか。

約　　　　周

❸ 次の陸上競技では合計何 m 走るでしょうか。

混合 4 × 400 m リレー

m

~~~~~~

問題 2 次のオリンピックの結果について問題に答えましょう。

~~~~~~

> 計算機を使おう！

❶ 陸上男子 200m 決勝　ウサイン・ボルト選手　19.78 秒

この選手は 1 秒間に約何 m 走ったでしょうか。（小数点 2 桁まで）

m/ 秒

❷ 陸上男子 400m ハードル決勝　カーロン・クレメント選手　47.73 秒

この選手は 1 秒間に約何 m 走ったでしょうか。（小数点 2 桁まで）

m/ 秒

❸ 陸上男子 1500m 決勝　マシュー・セントロウィッツ選手　3 分 50 秒

この選手は 1 秒間に約何 m 走ったでしょうか。（小数点 2 桁まで）

m/ 秒

8 電車や飛行機で移動する

問題1 下の地図を見て、答えましょう。

東京↔札幌　約835km
東京↔大阪　約400km
東京↔福岡　約886km

❶ 札幌から東京まで移動し、そこから大阪に移動しました。合計で約何キロ移動したでしょうか。また、その距離を五日間かけて移動した場合、平均して一日約何キロ移動したでしょうか。

合計の移動距離

一日平均の移動距離　　　　　　　　　　　　　　km/日

❷ 東京・大阪・福岡は、ほぼ一直線上にあります。大阪↔福岡の距離はだいたいどのくらいになるでしょうか。

9 海外旅行
(かいがいりょこう)

問題 1 都市の距離について調べて、遠い順に並べましょう。

❶
東京ーバンコク →

約 _____ km

❷
東京ーニューヨーク →

約 _____ km

❸
東京ーパリ →

約 _____ km

_____ > _____ > _____

速さについて

　時速 60km の車が 1 時間走ると、60km の距離を走ることになります。逆に、80km の距離を 1 時間で走ったら、平均時速は 80km だったことになります。

　時速とは、「**1 時間で移動する距離で表した速さ**」のことです。

時速 60km
単位を km で表す

　　時速：60km　　＝　分速：1km　　＝　秒速：0.016km

単位を m で表

　　時速：6000m　＝　分速：1000m　＝　秒速：1.66m

1 時間に 60km ということは、1 分ではその 60 分の 1 になります。1 秒では、さらにその 60 分の 1 という計算になります。

　みなさんも普段、天気のニュースで、「**今回の台風は、時速 30km の速さで北東に進んでいます**」というように時速で速さを表しているのを聞いたことはありませんか。

　他にも、テニスのトップ選手のサーブは時速 200km くらい、野球では時速 150km 以上の速さで投げる投手もいます。新幹線や F1 レースの車などは時速 300km もの速度が出ます。いろいろな速さについて調べてみるのも面白いでしょう。

2

おも　　りょう
重さ、量

1 重さの単位

重さを表す単位にはどんなものがあるでしょうか。

g グラム

とても小さいものの重さを表す時によく用います。砂糖の量や、食品に含まれる成分の量などでみかけます。

kg キログラム

体重や荷物の重さなど、身近なものの重さを表す時によく用います。体重計などを使って測ります。

t トン

トラックに積める量や、大きい動物の体重など、とても重いものを表す時によく使います。

同じ重さでも違う呼び方（単位）があります。たとえば、1000g と 1kg は同じ重さ、1000kg と 1t は同じ重さです。

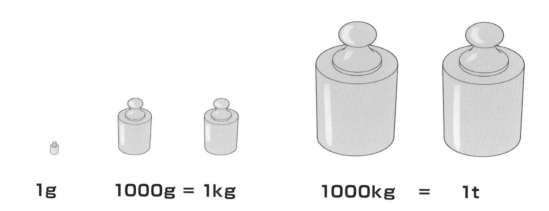

1g　　**1000g ＝ 1kg**　　**1000kg　＝　1t**

| 問題1 | 上の説明を参考にして、次の問題に答えましょう。 |

❶ 1g のおもりがいくつあると 1kg になりますか。

❷ 1kg のおもりがいくつあると 100kg になりますか。

❸ 0.1kg のおもりがいくつあると 1kg になりますか。

問題2 次の単位を他の単位に置き換えましょう。

❶

3300g　　→ [   ] kg

❷

5200kg　　→ [   ] t

❸

0.5kg　　→ [   ] g

❹

15000g　　→ [   ] kg

問題3 次の問題に答えましょう。また、他の単位も書いてある
場合は、答えを別の単位に置き換えましょう。

❶ 15g ＋ 30g ＋ 40g

g

❷ 700g ＋ 1500g ＋ 200g

g	kg

❸ 23kg － 19kg

kg

❹ 150kg ＋ 300kg ＋ 290kg

kg	t

❺ 1t － 500kg

kg	t

2 身近な重さ

問題 1 次の問題に答えましょう。

用途	乗用
積載量	600kg

エレベーターに表示されている「積載量」とは、そのエレベーターに積める重量＝重さのことです。エレベーターに乗った時に確認してみましょう。

❶ このエレベーターに、体重 70kg,65kg,80kg,52kg の 4 人が乗っています。あと何 kg 分の人が乗れるでしょうか。

kg

❷ このエレベーターに体重 70kg の人は何人乗れるでしょうか。

人

最大積載量

3300kg

ものを運ぶ車などに表示されている「最大積載量」とは、その車に積める最大の重量＝重さのことです。

❸ このトラックの「最大積載量」は何トンでしょうか。

t

セメント
25kg
セメント
25kg

❹ 1袋25kgの荷物があります。このトラックに荷物はいくつ積めるでしょうか。

個

👆 ポイント&ヒント

エレベーターや車両によって、「積載」「積載量」「最大積載量」などの表記がありますが、意味は同じです。重さの限度を表しています。

3 電化製品を買う

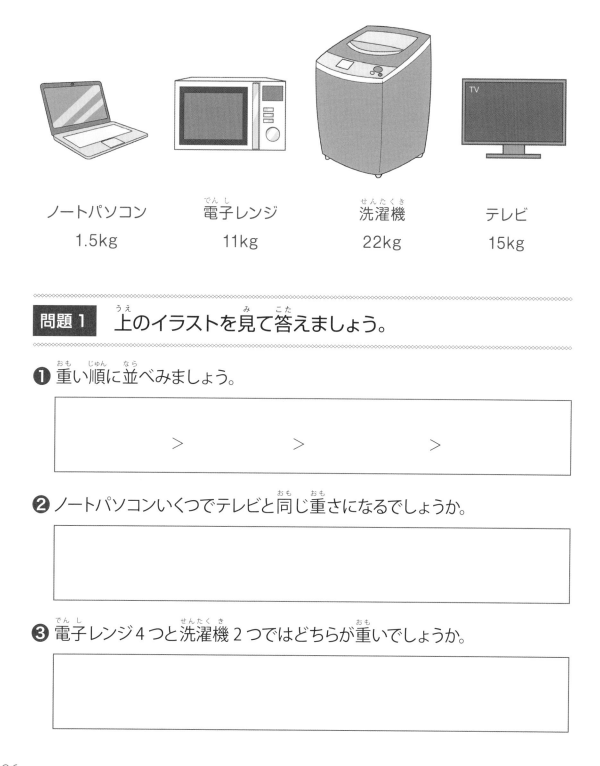

ノートパソコン　　　電子レンジ　　　　洗濯機　　　　　テレビ

1.5kg　　　　　　　11kg　　　　　　　22kg　　　　　　15kg

問題1　上のイラストを見て答えましょう。

❶ 重い順に並べみましょう。

　　　　　　　＞　　　　　　＞　　　　　　＞

❷ ノートパソコンいくつでテレビと同じ重さになるでしょうか。

❸ 電子レンジ4つと洗濯機2つではどちらが重いでしょうか。

4 ステーキを食べる

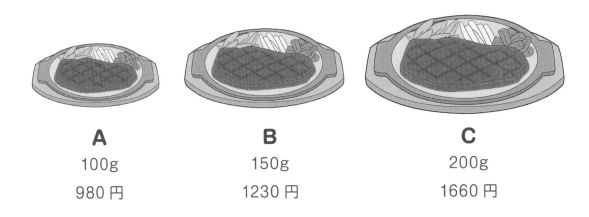

A	B	C
100g	150g	200g
980 円	1230 円	1660 円

問題 1　上のイラストを見て問題に答えましょう。

❶ B のステーキを 3 つと、C のステーキ 2 つは、どちらが重いでしょうか。

B を 3 つ	C を 2 つ

（　B を 3 つ　・　C を 2 つ　）の方が　　　　　　　　g　重い。

❷ それぞれのステーキの、1g あたりの値段を比べてみましょう。

A	B	C
円 /g	円 /g	円 /g

1g あたりで比べると、一番安のは（　A　・　B　・　C　）のステーキ。

5 宅配便で荷物を送る

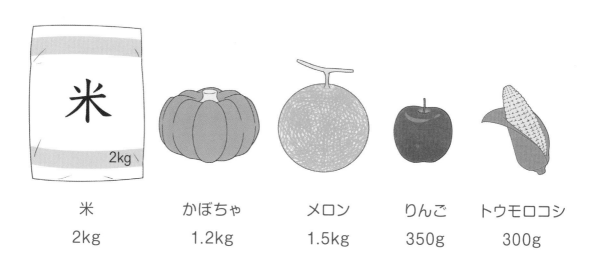

	米	かぼちゃ	メロン	りんご	トウモロコシ
	2kg	1.2kg	1.5kg	350g	300g

問題 1 下の表は、東京都から荷物を送る時の、ある運送会社の料金表の一部です。表を見て答えましょう。

東京都発料金表の例

サイズ	北海道	東海	北陸	関西
2kg 以下	880 円	520 円	580 円	680 円
5kg 以下	1120 円	580 円	680 円	815 円
10kg 以下	1350 円	680 円	815 円	1010 円
15kg 以下	1620 円	815 円	1010 円	1225 円

❶ 関西へ米 1 袋を送ると、いくらになるでしょうか。

❷ メロン 1 個、米 1 袋、かぼちゃ 1 個を 1 つの箱に詰めました。5kg 以内に収めるには、あと何が入るでしょうか。

❸ 米 2 袋、メロン 3 個、りんご 5 個を 1 つの箱に詰めました。北海道へ送ると、いくらになるでしょうか。

❹ メロン 2 個を 1 つの箱に詰めて愛知県へ、かぼちゃ 5 個を 1 つの箱に詰めて新潟県へ送りました。合計でいくらになるでしょうか。

愛知県と新潟県は何地方になるか、調べてみよう！

👆 ポイント＆ヒント

実際には梱包する箱の重さ自体も含めるので注意しましょう。また、箱の大きさによって料金が変わることもあります。宅配会社の料金表をよく見てみましょう。

6 量の単位

mL ミリリットル

紙パックの飲み物や、料理に使う調味料など、少ない量を表す時によく用います。スプーンや計量カップなどで測ります。

dL デシリットル

あまり見かけませんが、血糖値や、ホームセンターで売っている種の量などの表示に使われています。

L リットル

鍋やゴミ袋、大きいペットボトル、リュックサックの容量などの表示に使われています。

同じ量でも違う呼び方（単位）があります。たとえば、100mL と 1dL は
同じ量です。また、10dL と 1L は同じ量です。

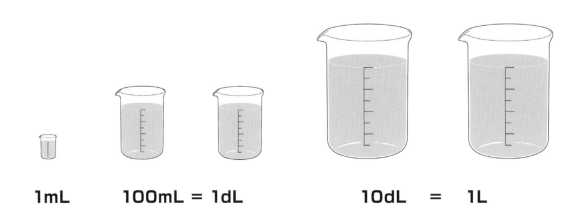

1mL　　　**100mL = 1dL**　　　　**10dL　=　1L**

～～～～～～～～～～～～～～～～～～～～～～～～～～～～～～～～～～～～～～

問題1　　上の説明を参考にして、次の問題に答えましょう。

～～～～～～～～～～～～～～～～～～～～～～～～～～～～～～～～～～～～～～

❶ 1mL の水が入ったカップがいくつあると、1dL の量の水になりますか。

❷ 1dL の水が入ったカップがいくつあると 1L の量の水になりますか。

❸ 1000mL は何 L でしょうか。

31

問題2　次の単位を他の単位に置き換えましょう。

❶

3000mL　　→　　
L

❷

2L　　→　　
mL

❸

0.5L　　→　　
mL

❹

800mL　　→　　
L

問題3 次の問題に答えましょう。また、他の単位も書いてある場合は、答えを別の単位に置き換えましょう。

❶ 30mL ＋ 60mL ＋ 55mL

	mL	dL

❷ 50mL ＋ 150mL ＋ 280mL

	mL	dL

❸ 20dL ＋ 38dL

	dL	L

❹ 1L － 500mL

	mL	L

❺ 10L － 50dL － 3000mL

	L	dL

ヒント：どれか1つの単位に揃えて計算しよう！

問題2 次の単位の目盛りまでビーカーの中を塗りましょう。

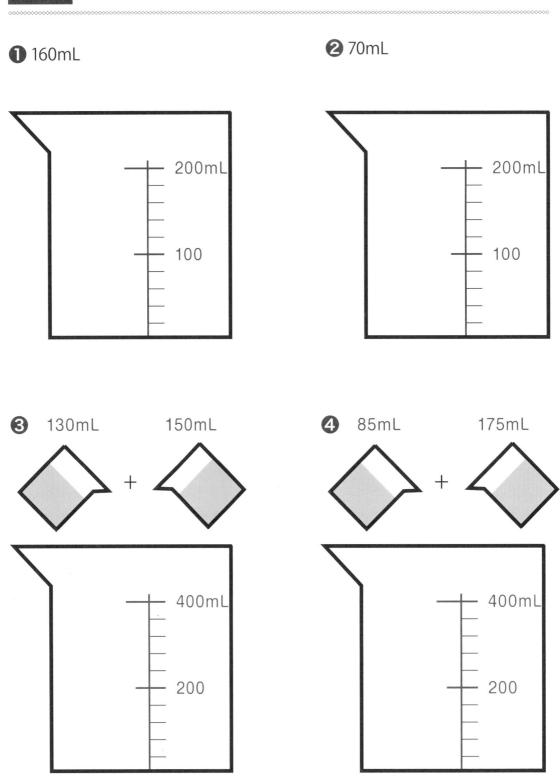

❶ 160mL

❷ 70mL

❸ 130mL ＋ 150mL

❹ 85mL ＋ 175mL

8 身近な量

〜〜〜〜〜〜〜〜〜〜〜〜〜〜〜〜〜〜〜〜〜〜〜〜〜〜〜〜〜〜〜〜〜〜〜

問題 1 L（リットル）で書かれているものを調べてみましょう。

〜〜〜〜〜〜〜〜〜〜〜〜〜〜〜〜〜〜〜〜〜〜〜〜〜〜〜〜〜〜〜〜〜〜〜

❶ ゴミ袋は、容量でサイズが分かれているものがあります。学校や家で使われているゴミ袋を調べて、どんなサイズがあったか書きましょう。

❷ 他にも、L（リットル）でサイズが書かれているものを探して書きましょう。

ものの名前	L（リットル）

問題2　下のイラストを見て答えましょう。

ジュース　　コーヒー　　牛乳　　水
350mL　　280mL　　500mL　　2L

❶ 量が多い順に並べましょう。

> 　　　　 > 　　　　 >

❷ 牛乳何本で水と同じ量になるでしょうか。

❸ ジュース3本とコーヒー4本ではどちらが量が多いでしょうか。

9 料理で使う分量

大さじ
1杯＝15mL

小さじ
1杯＝5mL

計量カップ
料理の分量で、1カップと書いてあることが
あります。1カップは、200mLです。

問題1 次の問題に答えましょう。

---

❶ 大さじ1杯は小さじ何杯分でしょうか。

❷ 鍋に 2.4L の水を入れます。計量カップで何カップ入れれば良いでしょうか。

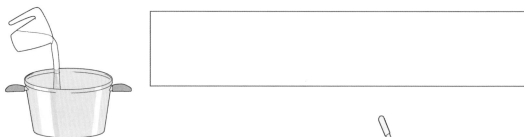

❸ 鍋に 1.5L のスープが入っています。一人あたり 180mL よそると、何人分よそれますか。また、あまりは何 mL でしょうか。

問題2 下はある料理を作る時の分量です。左側の二人分を参考にして、四人分の分量を書きましょう。

二人分	
牛肉	200g
水	150cc
しょうゆ	大さじ 2
みりん	大さじ 1
玉ねぎ	1 個
にんじん	1/2 本

→

四人分		
牛肉		g
水		cc
しょうゆ	大さじ	
みりん	大さじ	
玉ねぎ		個
にんじん		本

☞参考図書　ひとりだちするための調理学習

ブレイク タイム　　エレベーターの定員

　エレベーターには「定員」という表示があります。これは、**その エレベーターに何人まで乗れるか**という目安を表しています。

　日本では、「体重65kg の人が何人乗れるか」で計算されています。24 ページのエレベーター（積載量600kg）の場合で計算してみましょう。

　　　　600÷65＝9.23,,,

　端数を切り捨てると、このエレベーターの「定員」は9 名となります。

　ただ、「定員」はあくまで目安に過ぎず、積載量が優先されます。エレベーターに人が乗りすぎるとブザーが鳴り、扉が閉まらない仕組みになっています。

　上の例では、10 人乗るとブザーが鳴るわけではなく、600kg を超えるとブザーが鳴ります。なぜなら、実際には人によって体重が違いますし、荷物の重さによっても違うためです。

　ちなみに、国によって定員を計算する時の基準となる一人あたりの体重は違います。

日本	**65kg**
ヨーロッパ	**72.5kg**
北アメリカ	**75kg**

3

表とグラフ

1 色々なグラフ

棒グラフ

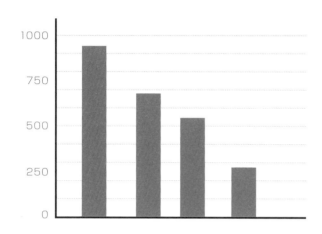

棒の高さで大小や増減を比べます。どれくらい増えたり減ったりしたか、大小の差などが分かりやすいグラフです。

折れ線グラフ

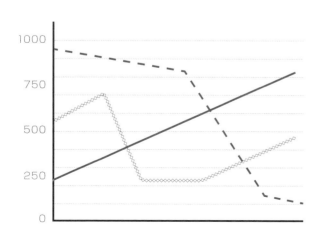

増えているのか減っているのかを、線の傾きで表します。ずっと下がっているものや、変わらないものなど、推移を比べやすいグラフです。

円<ruby>円<rt>えん</rt></ruby>グラフ

円<ruby>全体<rt>ぜんたい</rt></ruby>を 100% として、それぞれが<ruby>占<rt>し</rt></ruby>める<ruby>面積<rt>めんせき</rt></ruby>で<ruby>比<rt>くら</rt></ruby>べます。<ruby>全体<rt>ぜんたい</rt></ruby>の<ruby>中<rt>なか</rt></ruby>でどのくらいの<ruby>比率<rt>ひりつ</rt></ruby>なのかが<ruby>比<rt>くら</rt></ruby>べやすいグラフです。

帯<ruby>帯<rt>おび</rt></ruby>グラフ

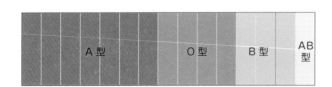

円グラフと<ruby>同<rt>おな</rt></ruby>じく、<ruby>比率<rt>ひりつ</rt></ruby>が<ruby>分<rt>わ</rt></ruby>かりやすいグラフです。また、<ruby>帯<rt>おび</rt></ruby>グラフを<ruby>縦<rt>たて</rt></ruby>に<ruby>並<rt>なら</rt></ruby>べることで、<ruby>年代<rt>ねんだい</rt></ruby>ごとの<ruby>推移<rt>すいい</rt></ruby>が<ruby>比<rt>くら</rt></ruby>べやすくなります。

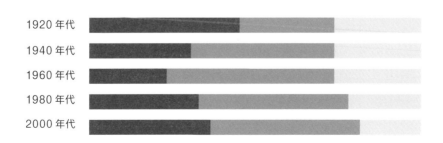

2 一ヶ月の天気

晴れ	くもり	雨
16日	4日	10日

問題1　一ヶ月の天気を、グラフにしましょう。

---

❶ 下のマスを塗りつぶして、棒グラフにしましょう。

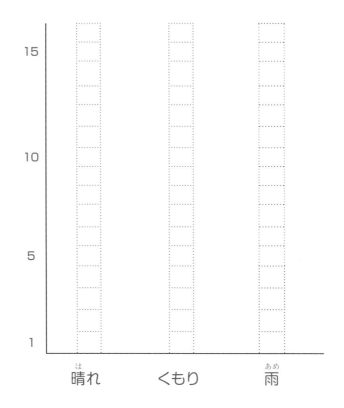

❷ 次は、帯グラフにしましょう。さきほど作った棒グラフを参考に、左から右へ大きい順にしましょう。（1マスは二日分です）

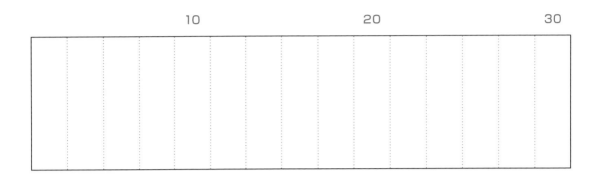

❸ 今度は、円グラフにしましょう。

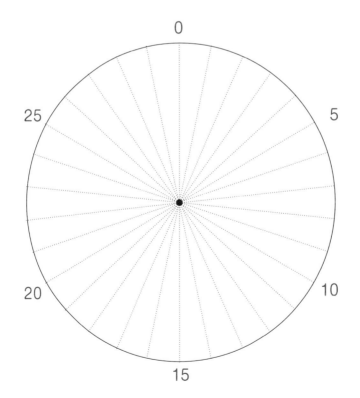

3 一日の過ごし方

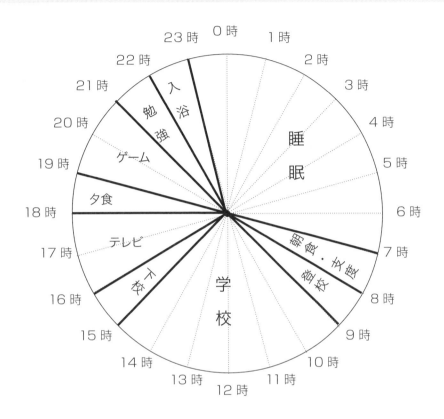

問題 1 上のグラフはある生徒の一日の生活を表わしたものです。

❶ このグラフは「何グラフ」といいますか。

❷「学校」は何時間ありますか。

❸「学校」はこの一日の中で何分の一を占めているでしょうか。

❹ それを割合で表すと何％になるでしょうか。

ヒント：分子÷分母×100で％を計算できるよ！

❺ この一日で、一番多い時間は何をしている時間でしょうか。また、それは何時間でしょうか。

❻「睡眠」はこの一日の中で、何分の一を占めているでしょうか。

Z
z
z

☞参考図書　ひとりだちするためのライフキャリア教育

4 野球チームの順位

問題1 下のグラフは、5つの野球チームの10年間の順位を表したものです。

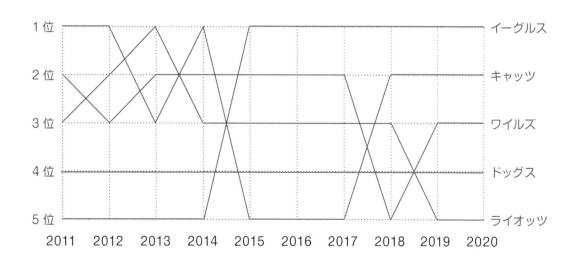

❶ このグラフは「何グラフ」といいますか。

❷ 10年間で、一度も順位が変わっていないのはどのチームでしょうか。

❸ 昔は最下位が続いていたが、最近ずっと1位が続いているのはどの
チームでしょうか。

❹ 一度も1位になったことがないチームを全て書きましょう。

❺ 前年の順位からもっとも順位が落ちたのは、何年から何年のどの
チームでしょうか。

👆 ポイント&ヒント

違う色で塗ったり、年と順位が交差する所に●を書くと分かりやすいよ！

4 PKの結果

問題1 サッカーのPK（ペナルティーキック）をそれぞれ10回
蹴りました。結果を見て、答えましょう。

A君
最初の3回はシュートが入りました。次の4回は外れ、
最後の3回はまたシュートが入りました。

Bさん
最初の3回はシュートが外れました。次の4回はシュート
が入り、残りは全て外れました。

Cさん
最初の4回はシュートが外れました。残りはシュートが入っ
たり外れたりが交互に続きました。

❶ 3人のシュート結果を表にしてみましょう。

	シュートが入った回数	シュートが外れた回数
A君		
Bさん		
Cさん		

❷ A君のシュートが入る確率は何%でしょうか。

ヒント：入った数÷全体の数×100で%を計算できるよ！

❸ A君が20回シュートすると、何回入りそうだと予想できますか。

❹ Cさんのシュートが入る確率は何%でしょうか。

❺ Cさんが50回シュートすると、何回入りそうだと予想できますか。

5 生活費を管理する

家計簿			
日付	費目	内容	金額（円）
5/1	食費	スーパー	1350
5/6	美容費	美容院	3500
5/6	食費	コンビニ	864
5/8	食費	スーパー	1620
5/12	遊興費	映画	1500
5/12	交通費	電車代	540
5/16	日用品	電池	300
5/20	食費	スーパー	1166
5/23	日用品	扇風機	4200
5/28	交通費	バス	460
5/28	遊興費	カラオケ	1000
合計			

問題 1 左ページの家計簿を見て、答えましょう。

---

❶ 家計簿の合計欄に金額を書きましょう。

❷ 費目ごとに仕分けて、それぞれの合計金額を書きましょう。

費目	金額（円）

❸ 上の表を左から多い順に棒グラフにしましょう。

費目→

ブレイク タイム　確率について

　天気予報では、雨の降る確率を「降水確率」といいます。確率とは、「ある事柄が、どれくらいの可能性で起こるか」を表したものです。

　例えば、降水確率 30％ と降水確率 60％ では、どのように違うでしょうか。「60％ の方が大雨が降る」というわけではありません。雨の量や強さは関係なく、「降るか降らないか」を数値で予想したものです。30％ でもどしゃ降りになることもあれば、90％ なのに小雨かもしれません。また、0％ なのに雨が降ったり、100％ なのに晴れることだってあります。

　あくまで可能性なのではありますが、目安として参考にしたり活用するようにしましょう。

　また、確率は数値だけでなく、言葉で表すこともあります。**「絶対に」「多分」「きっと」** など、みなさんも使ったことがあるのではないでしょうか。

　このような言葉や数値を使われると、つい信用してしまいまいがちです。「絶対に儲かるから」「80％ の人が満足しています」など、嘘の広告や詐欺には注意しましょう。

　『ひとりだちするためのトラブル対策』（小社刊） も読んで参考にしましょう。

4

ずけい
図形

1 面積を測る

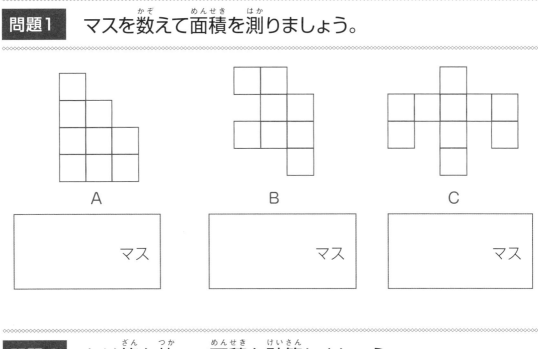

問題1 マスを数えて面積を測りましょう。

A

B

C

マス

マス

マス

問題2 かけ算を使って面積を計算しましょう。

❶ まずは、マスを数えて面積を測りましょう。

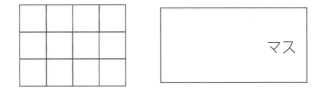

マス

❷ この図形のように、四角い図形はかけ算を使って面積を計算することができます。「たて×よこ」のかけ算で面積を計算しましょう。

たて   ×   よこ   =   面積

マス × マス = マス

❸ 左ページの問題1のABCの図形も、マスを動かすことで四角形になります。
そうすると、かけ算で簡単に面積を計算できます。

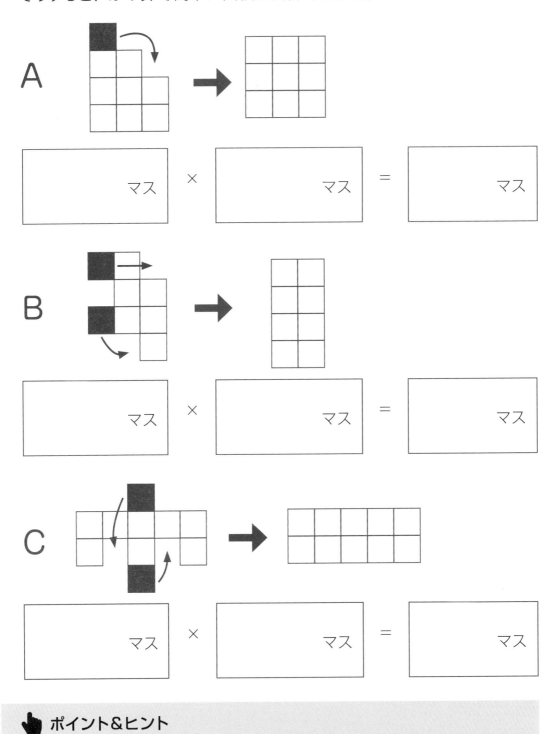

A
□ マス × □ マス = □ マス

B
□ マス × □ マス = □ マス

C
□ マス × □ マス = □ マス

👆 ポイント＆ヒント

「たて」×「よこ」でも、「よこ」×「たて」でも、どちらでもいいよ！

問題3 様々な単位の面積を測りましょう。

単位がマスではなく、cm や m などに変わっても、同じようにかけ算を
使って面積を測ることができます。

❶

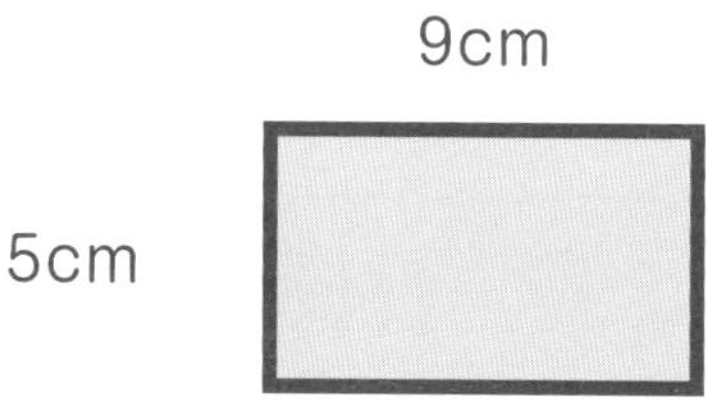

9cm

5cm

cm²

❷

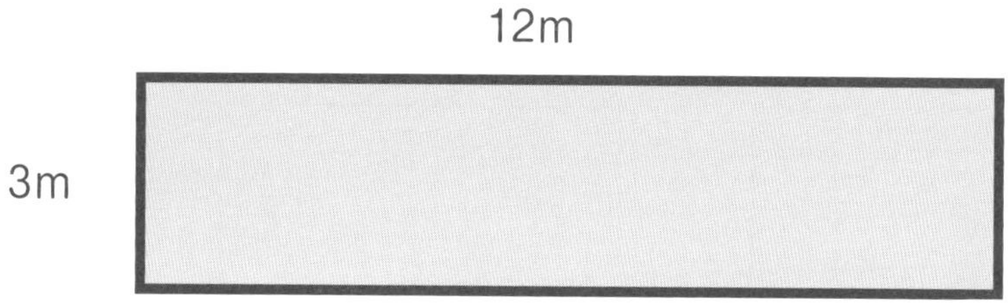

12m

3m

m²

❸

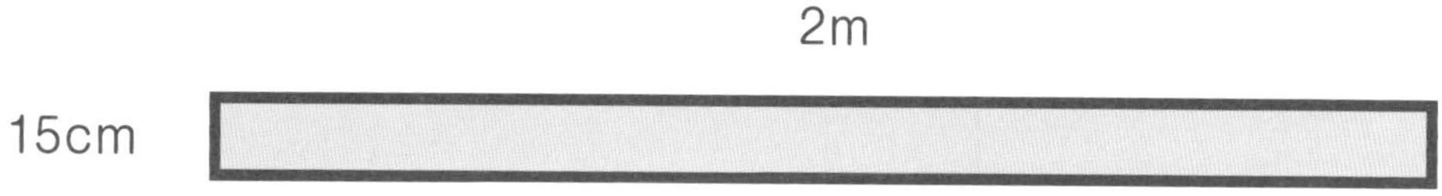

2m

15cm

cm²

問題4 下のマス目を使って問題に答えましょう。

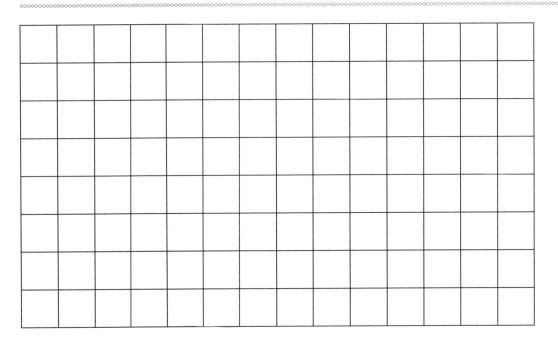

❶ 面積が6マスになるように長方形を書きましょう。

❷ 面積が16マスになるように正方形を書きましょう。

❸ 面積が15マスになるように長方形を書きましょう。ただし、横の長さ は3マスになるようにしましょう。

問題 5 面積から「たて」と「よこ」の長さを計算しましょう。

❶

20cm² = [cm] × [cm]

❷

50cm² = [cm] × [cm]

❸

100cm² = [cm] × [cm]

❹

600cm² = [cm] × [cm]

👆 **ポイント&ヒント**

正解は一つだけとは限らないよ！

2 建物の面積を比べる

問題1 いろいろな面積を調べてみましょう。

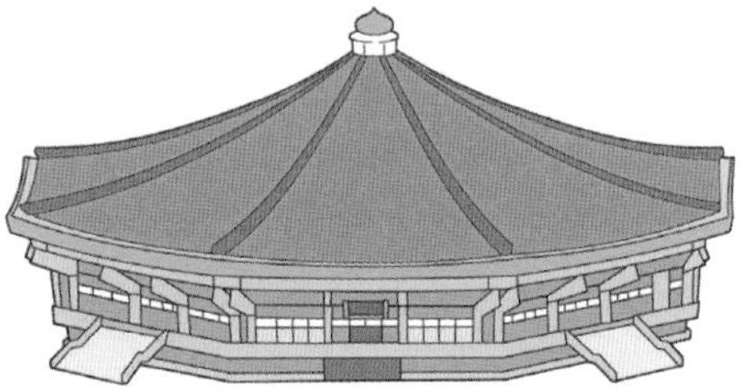

東京ドーム

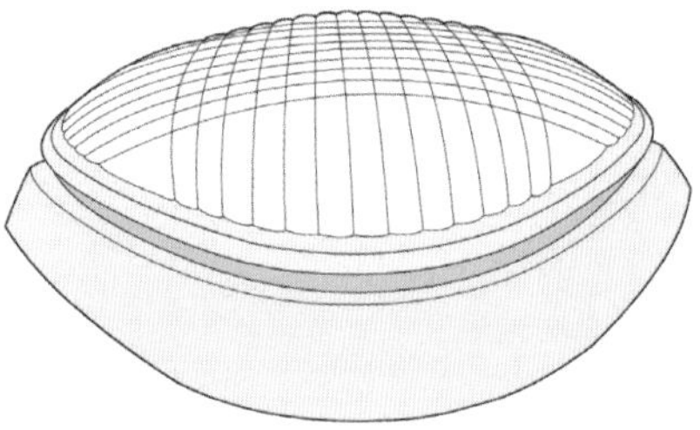

日本武道館

約 m²	約 m²

❶ 日本武道館は、東京ドームの中に何個入るでしょうか。

❷ 通っている学校の面積を調べてみましょう。

❸ 学校は、東京ドームの中に何個入るか計算してみましょう。

3 農業体験
のう ぎょう たい けん

問題1　12列ある畑に作物を植えていきます。
れっ　はたけ　さくもつ　う

❶ A さんは1列植えるのに、1時間かかります。全ての列に作物を植えるの
れつ う　　　　　　　　じかん　　　　　　　　すべ れつ さくもつ う
に何時間かかるでしょうか。
なんじかん

❷ B さんは1列植えるのに、30分かかります。全ての列に作物を植えるの
れつう　　　　　　ぷん　　　　　　　すべ れつ さくもつ う
に何時間かかるでしょうか。
なんじかん

❸ A さんと B さんが畑の両側から同時に植え始めると、全ての列に作物を
はたけ りょうがわ　どうじ う はじ　　　すべ れつ さくもつ
植えるのに何時間かかるでしょうか。
う　　　なんじかん

ヒント：二人同時だと、1時間にどれくらい植えられるかを考えてみよう！
ふたり　　　　　　　　　　　　　　う　　　　　　かんが

62

4 立体の名前

ピラミッド　　　　　　ビル　　　　　　　地球

ポップコーン　　　スープの缶づめ　　　チーズ

問題 1 上のイラストの立体を、下の立体名のあてはまる所に書きましょう。

さんかく 三角すい		えん 円すい	

さんかくちゅう 三角柱		えんちゅう 円柱	

ちょくほうたい 直方体		きゅう 球	

5 立体の切り口

問題1 次の立体を、ピンクの線で手前から奥に水平に切った時の切り口を、ABC から選んで○をつけましょう。

❶

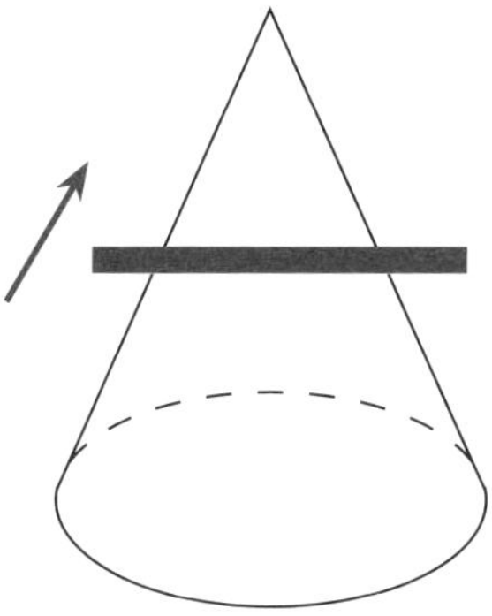

A △

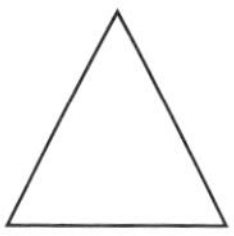

B ○

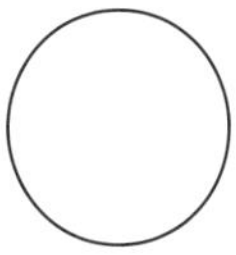

C ▭

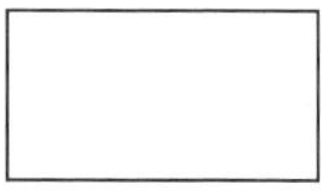

❷

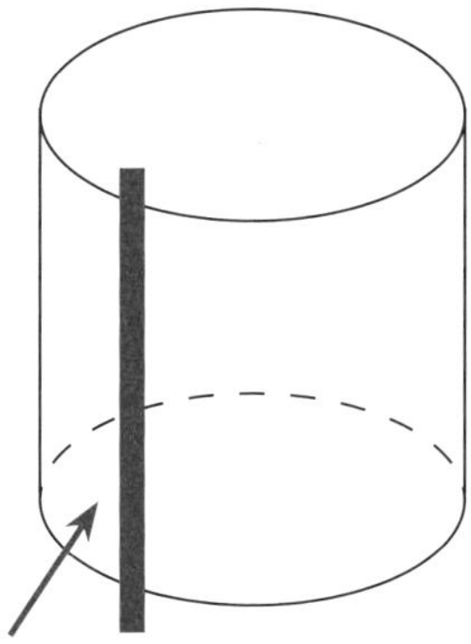

A ○

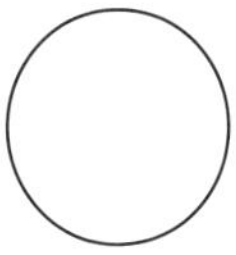

B ⌓

C ▯

❸

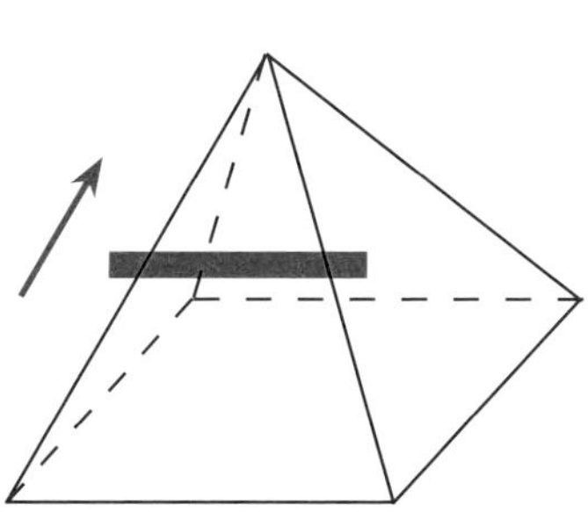

A △

B ○

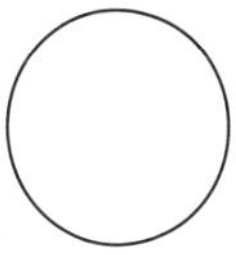

C □

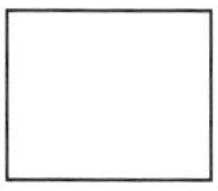

6 ボールを片付ける

❶ 下のイラストは、卓球の公式ボールを真ん中で切った時の実際の切り口の大きさです。左右の赤い丸を直線でつないで、直径を測ってみましょう。

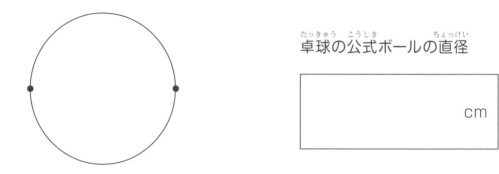

卓球の公式ボールの直径

cm

❷ 下のイラストのように、箱に卓球のボールを 12 個しまいます。縦横の長さが何 cm ×何 cm の大きさの箱があればピッタリしまえるでしょうか。

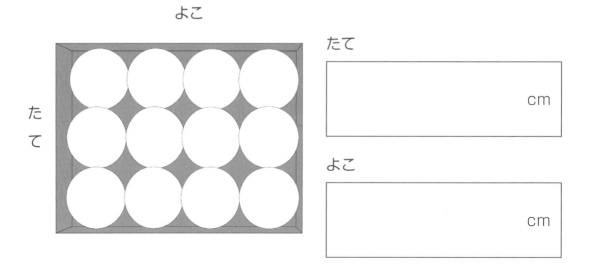

よこ

たて

cm

よこ

cm

7 箱を作る

問題1 次の問題に答えましょう。

❶ 右のイラストのように、直方体の立体を紙で作りた
いと思います。下の ABC3 つの中で、この立体の
展開図として正しいもの全てに○をしましょう。

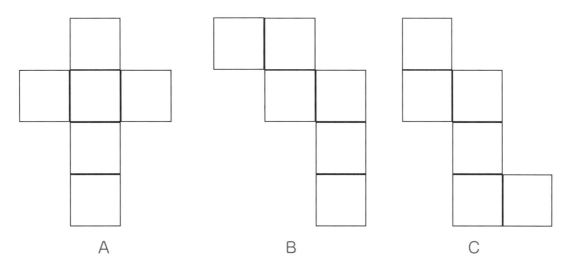

A   B   C

❷ 下のイラストのように、円柱の立体を紙で作りたいと思います。この立体の展開図に足りない部分を書き込みましょう。

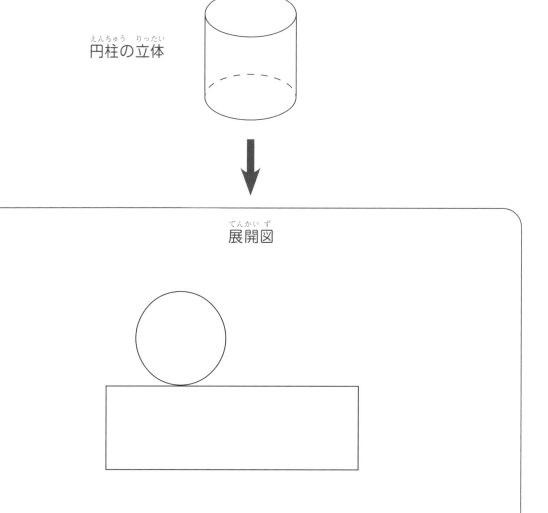

円柱の立体

展開図

👆 ポイント&ヒント

立体の図では、見えない部分を点線で補っています。このように立体の全体がわかるように書いた図を**「見取り図」**といいます。

8 本棚を買う

単位は全て cm です

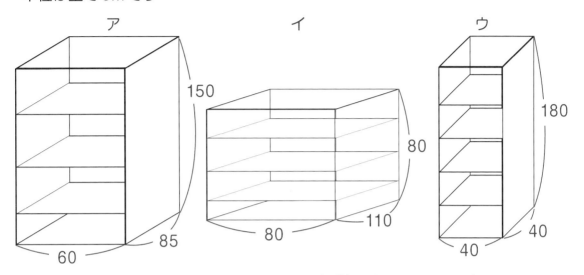

ア　　　　　　　　　イ　　　　　　　　　ウ

はると君は、本棚を買うことにしました。本棚が置けるピンク色の部分を、分かりやすく点線で区切りました。なお、扉は手前に開きます。

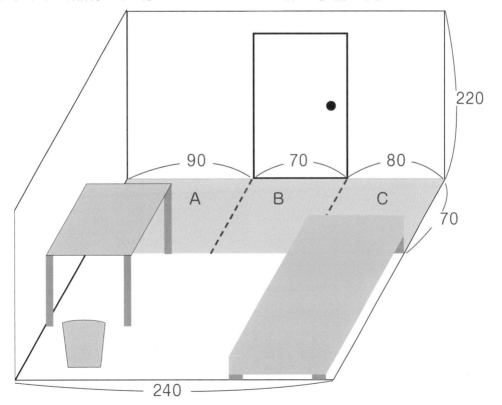

問題1 左ページのイラストを見て、問題に答えましょう。

❶ ピンク色の部分の床の面積は何 cm² でしょうか。

cm²

❷ ア・イ・ウの本棚の中で、A・B・C のどの床にも置けない本棚はあるでしょうか。またそれはどれでしょうか。

❸ アの本棚を置けるのは、A・B・C のどの床でしょうか。

❹ ウの本棚は、C の床にいくつ置けるでしょうか。

❺ ピンク色の部分の床には、最大でいくつの本棚を置けるでしょうか。
扉の開け閉めのことも忘れないように！

部屋の広さはややこしい！？

面積は平方メートルなどで表すのが一般的ですが、部屋の広さについては、畳が何枚敷けるかで表すこともあります。6畳、8畳、12畳など、、日本人には馴染みのある単位ですね。また、エアコンなどの季節家電にも、「○畳用」など対応する部屋の広さが書いてあるものもあります。

しかし、この「畳」という表記はやっかいで、実は地域などによって広さが違うことがあります。

京間（西日本エリア）：191.0cm × 横 95.5cm = 1.82m^2

中京間（東海エリア）：182.0cm × 横 91.0cm = 1.65m^2

江戸間（東日本エリア）：176.0cm × 横 88.0cm = 1.54m^2

「同じ1畳なのに大きさが違うなんて！」と思うかもしれませんが、不動産の表示に関する規則では、「1畳＝1.62m^{2}以上」と定められています。

また、部屋を借りる際に見る間取り図では、「畳」ではなく「帖」と書かれていることも多いですが、これは同じと思って大丈夫です。元々「和室は畳」「洋室は帖」を使用していたと言われていますが、フローリングの部屋が増えた現在では、帖の表記を目にすることが多いでしょう。

自分の部屋などを参考に、「だいたい6畳はこれくらい」といった感覚を身につけておくと便利ですね。

かいとうれい
解答例

p.5 　問題1 ❶10 　❷100 　❷1000

p.6 　問題2 ❶1.8m 　❷2000m 　❸0.5m 　❹1.5km

p.7 　問題3 ❶20+40+50=110 　110cm、1.1m

　　　　　　❷15+20+35=70 　70mm、7cm

　　　　　　❸50+150=200 　2m

　　　　　　❹400+800=1200 　1200m、1.2km

　　　　　　❺13-8=5 　5km、5000m

p.8 　問題1 ❶7-2=5 　5cm

　　　　　　❷120-50=70 　70cm

　　　　　　❸1m40cm

　　　　　　❹340+490=830 　8m30cm

p.9 　問題1 ❶1.54m 　❷(154+167+183+172+174)÷5=170 　170cm

　　　　　　❸3人

p.10 　問題1 ❶400×3=1200 　1200m、1.2km

　　　　　　❷400×5=2000 　2000m、2km

　　　　　　❸5200÷400=13 　13周

p.11 　問題1 ❶800+300=1100 　1100m

　　　　　　❷1100×2=2200 　2200m、2.2km

　　　　　　❸300+400+400+800=1900 　1900m、1.9km

p.13 　問題1 ❶1. 700+3000+400=4100 　4.1km

　　　　　　　2. 3.4km

　　　　　　　3. 200+3800=4000 　4km

　　　　　　❷3.4+4=7.4 　7.4km 　❸3.4×(7-2)=17 　17km

p.14 　問題1 ❶42.195km 　❷42.195÷2=21あまり0.195 　約21周

p.15 　　　　❸4×400=1600 　1600m

　　　問題2 ❶200÷19.78=10.11 　10.11m/秒

　　　　　　❷400÷47.73=8.38 　8.38m/秒

　　　　　　❸1800÷(180+50)=6.52 　6.52m/秒

p.16 　問題 1 　❶合計の移動距離　835+400=1235　約 1235km

　　　　　　　 1 日平均の移動距離　1235÷5=247　247km/ 日

　　　　　 ❷ 886-400=486　約 486km

p.17 　問題 1 　❶約 4600km　❷約 10800km　❸約 9700km

　　　　　　 ニューヨーク > パリ > バンコク

p.21 　問題 1 　❶ 1000　❷ 100　❸ 10

p.22 　問題 2 　❶ 3.3kg　❷ 5.2t　❸ 500g　❹ 15

p.23 　問題 3 　❶ 15+30+40=85　85g

　　　　　 ❷ 700+1500+200=2400　2400g、2.4kg

　　　　　 ❸ 23-19=4　4kg

　　　　　 ❹ 150+300+290=740　740kg、0.74t

　　　　　 ❺ 1000-500=500　500kg、0.5t

p.24 　問題 1 　❶ 600-70-65-80-52=333　333kg

　　　　　 ❷ 600÷7=8 あまり 40　8 人

p.25 　問題 1 　❶ 3.3t

　　　　　 ❷ 3300÷25=132　132 個

p.26 　問題 1 　❶洗濯機 > テレビ > 電子レンジ > ノートパソコン

　　　　　 ❷ 15÷1.5=10　10 個

　　　　　 ❸同じ重さ　電子レンジ 11×4=44　洗濯機 22×2=44

p.27 　問題 1 　❶ B を 3 つ　150×3=450、C を 2 つ　200×2=400

　　　　　　 B を 3 つの方が 50g 重い

　　　　　 ❷ A　9.8 円 /g　(980÷100=9.8)

　　　　　　 B　8.2 円 /g　(1250÷150=8.2)

　　　　　　 C　8.3 円 /g　(1660÷200=8.3)

　　　　　　 一番安いのは B のステーキ

p.29 　問題 1 　❶ 680 円

　　　　　 ❷トウモロコシ　5-1.5-2-1.2=0.3 (300g 以下のもの)

　　　　　 ❸ 2000×2+1500×3+350×5=10250 10.25kg → 15kg 以下 1620 円

　　　　　 ❹ 580+815=1395　1395 円

p.31　問題1　❶100　❷10　❸1

p.32　問題2　❶3L　❷2000mL　❸500mL　❹0.8mL

p.33　問題3　❶30+60+50=145　145mL、1.45dL

　　　　　　❷50+150+280=480　480mL、4.8dL

　　　　　　❸20+38=58　58dL、5.8L

　　　　　　❹1000-500=500　500mL、0.5L

　　　　　　❺10-5-3=2　2L、20dL

p.34　問題1　❶140mL　❷720mL

p.35　問題2　❶　　　　　　　　　　　　　　❷

❸130+150=280　　　　　　　　　❹85+175=260

p.36　問題 1　❶ 45L、60L など

❷

ものの名前	何 L
ペットボトル	1.5L
鍋	2L
リュック	24L

p.37　問題 2　❶水 > 牛乳 > ジュース > コーヒー

❷ 2000÷500=4　4 本

❸コーヒー 4 本

ジュース 3 本 350×3=1050mL　コーヒー 4 本 280×4=1120mL

p.38　問題 1　❶ 15÷3　3 杯

p.39　　　　❷ 2400÷200　12　12 カップ

❸ 1500÷180=8 あまり 60　8 人分　あまり 60mL

問題 2　❶牛肉　　　　400g

水　　　　300cc

しょうゆ　大さじ 4

みりん　　大さじ 2

玉ねぎ　　2 個

にんじん　1 本

p.44　問題 1　❶

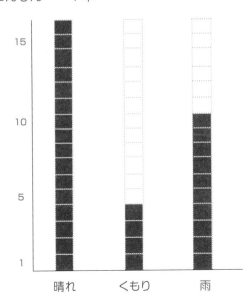

p.45　　　　❷

❸

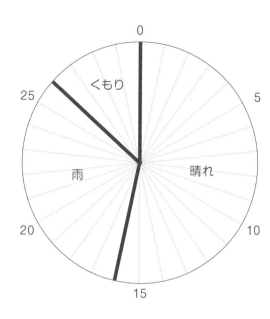

p.46　　問題1　❶円グラフ　　　　　❷6時間

p.47　　　　　❶6/24=1/4　四分の一

　　　　　　❷1÷4×100=25　25%　　　❸睡眠、8時間

　　　　　　❶8/24=1/3　三分の一

p.49　　問題1　❶折れ線グラフ　　　　　❷ドッグス　　　　　❸イーグルス

　　　　　　❹ワイルズ、ドッグス　　　　❺2014年から2015年のキャッツ

p.51　　問題1　❶

	シュートが入った回数	シュートが外れた回数
A君	6	4
Bさん	4	6
Cさん	3	7

❷ 6÷10×100=60　60%

❸ 20×0.6=12　12回　（10回の結果を参考に 6×2=12 でもよい）

❹ 3÷10×100=30　30%

❺ 50×0.3=15　15回　（10回の結果を参考に 3×5=15 でもよい）

p.52　問題1 ❶ 16500円

p.53　　　❷

費目 （ひもく）	金額（円） （きんがく）（えん）
食費	1350+864+1620+1166=5000 円
美容費	3500 円
遊興費	1500+1000=2500 円
交通費	540+460=1000 円
日用品	300+4200=4500 円

❸

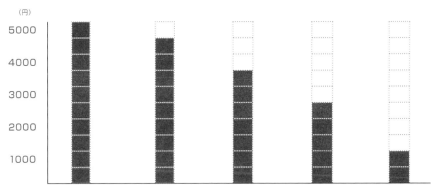

解答

p.56 問題1 ❶A 9マス　　B 8マス　　C 10マス

　　　 問題2 ❶12マス

　　　　　　 ❷3マス×4マス＝12マス

p.57 　　　 ❸A　3マス×3マス＝9マス

　　　　　　　 B　4マス×2マス＝8マス

　　　　　　　 C　2マス×5マス＝10マス

p.58 問題3 ❶5×9=45　45cm^2

　　　　　　 ❷3×12=36　36m^2

　　　　　　 ❸15×200=3000　3000cm^2

p.59 問題4

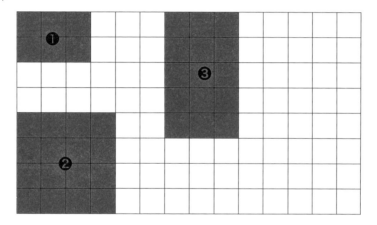

p.60 問題5 ❶20cm^2=4cm×5cm　（他に 5×4 や 1×20 など）

　　　　　　 ❷50cm^2=5cm×10cm　（他に 10×5 や 25×2 など）

　　　　　　 ❸100cm^2=2cm×50cm　（他に 50×2 や 25×4 など）

　　　　　　 ❹600cm^2=300cm×2cm　（他に 150×4 や 200×3 など）

p.61 問題1 東京ドーム　約 47,000m^2 、日本武道館　約 8,000m^2

　　　　　　 ❶47000÷8000=6 あまり 1000　6個

p.62 問題1 ❶1×12=12　12時間

　　　　　　 ❷30×12=360　360÷60=6　6時間

　　　　　　 ❸12÷3=4　4時間

　　　　　　 （A さんは 1 時間に 1 列、B さんは 1 時間に 2 列植えられるので、2 人同

　　　　　　 時だと 1 時間に 3 列植えられる）

参考図書

・ひとりだちするための進路学習
・ひとりだちするための調理学習
・ひとりだちするための国語
・ひとりだちするためのビジネスマナー&コミュニケーション
・ひとりだちするためのトラブル対策
・ひとりだちするためのライフキャリア教育

❶お金編

❷時間編

算数・数学
ワークシリーズ
好評発売中!

イラスト(表紙・本文):藤山

ひとりだちするための算数・数学ワーク❸ —量と測定・図形・表とグラフ編—

2019 年 10 月 15 日　　初版発行
2022 年 8 月 1 日　　初版第 2 刷発行

発行所　日本教育研究出版

　　　　〒 153-0051 東京都目黒区上目黒 3-6-2 伊藤ビル 302
　　　　TEL 03-6303-0543　FAX 03-6303-0546

ISBN978-4-931336-30-8 C7041

p.63　問題1　三角すい：ピラミッド　　　円すい：ポップコーン

　　　　　　三角柱：チーズ　　　　　　円柱：スープの缶づめ

　　　　　　直方体：ビル　　　　　　　球：地球

p.64　問題1　❶B　　❶C　　❶C

p.65　問題1　❶4cm

　　　　　　❶たて　4×3=12　12cm

　　　　　　　よこ　4×4=16　16cm

p.66　問題1　❶A、C

p.67　　　　　❶

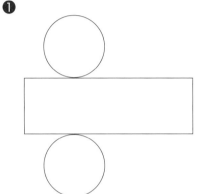

p.69　問題1　❶240×70=16800　16800cm^2

　　　　　　❶ある。イ

　　　　　　❶A

　　　　　　❶2つ

　　　　　　❶4つ（Aにウの本棚を2つ、Cにウの本棚を2つ）

もくじ

ひとりだちする ための 国語ワーク

② ―聞く・話す編―

本書には、縦書きと横書きのページがありますが、ページは右から左へとめくってください。小説や新聞は主に縦書きですが、実生活では、広告・雑誌・WEB サイト・メールなど横書きが多く使われているため、織り交ぜた構成にしています。また、グラフや計算など異なるジャンルの問題も組み込んでいます。

問題のレベルは簡単なものから少し難しいものまで用意しました。巻末に解答例を用意していますので、参考にしてください。難しい問題も、一度自分で考えてみてから解答例を見ることで学びになります。もちろん、どのページから始めても大丈夫です。